# Cahier d'activités

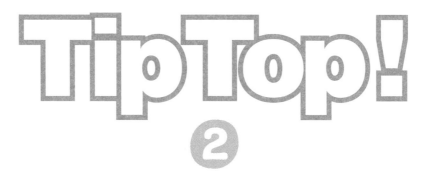

**2**

**Catherine Adam**

C'est moi :

Mon nom : ..................................................................

Mon prénom : ..........................................................

Mon âge : ................................................................

Ma classe : ...............................................................

Mon école : ..............................................................

**didier**

## Références des textes

**p. 4** – Carl Norac, dans *Petits Poèmes pour passer le temps*, © Didier Jeunesse, Paris 2008 ; **p. 36** – Jacques Charpentreau – « Les beaux métiers » extrait de *Poèmes pour peigner la girafe* © 1994 Hachette Livre/Gautier-Langereau

**éditions didier** s'engagent pour l'environnement en réduisant l'empreinte carbone de leurs livres. Celle de cet exemplaire est de :

**450 g éq. CO$_2$**
Rendez-vous sur
www.editionsdidier-durable.fr

PAPIER À BASE DE FIBRES CERTIFIÉES

Cette méthode s'est inspirée de la méthode "Copains, copines" publiée par les Éditions Trait d'Union - Grèce 2009

**Couverture et maquette intérieure :** Massimo Miola
**Illustration couverture :** Sylvie Eder
**Mise en page :** Anne-Danielle Naname
**Illustrations :** Lynda Corazza, Sylvie Eder et Gabriel Rebufello

© Les Éditions Didier, Paris 2010 – ISBN : 978-2-278-06652-0

Achevé d'imprimer en France par Loire Offset Titoulet en février 2018 - Dépôt légal : 6652/11 - N° imprimeur : 201801.0087

# Sommaire

# Pendant l'année

**①** **Relie les phrases.**

piste 4  **J'écoute**

**1.** – Maé ? Il est sept heures !
Qu'est-ce que tu fais ? •

• **a.** – Oh, maman ! J'ai pas faim !

**2.** – Maé, il est sept heures et demie !
Viens manger ! •

• **b.** – Ok, ok ! Je me dépêche !

**3.** – Maé, il est huit heures ! Vite ! •

• **c.** – Je me lave.

**②** **Mets la journée de Lucas dans l'ordre.**

**Je lis**

ⓐ ◯

Il mange.

ⓑ ◯

Il est à l'école.

ⓒ ◯

Il s'habille.

ⓓ ◯

Il se réveille.

ⓔ ◯

Il se couche.

ⓕ ◯

Il se lave.

ⓖ ◯

Il se dépêche.

**③** **Complète *C'est l'histoire d'une heure.***

**J'écris**

C'est l'histoire d'une **heure**
Qui a perdu une **seconde**.
Faut voir comme elle ........................,

Comme elle crie à la ........................
Qui connut un tel ........................ ?
À l'entendre, il y avait
de l'amour à l'**intérieur**.

**Tu connais un autre mot qui rime avec *heure* ?** ........................

**4** Entoure le nombre que tu entends.

piste 11  J'écoute

13  28  40  26  15  44  21  60

20  17  24  32  29  36  48  55

**5** Complète la date et relie.

 J'écris

*On est...*

1. 10/11 → *le dix novembre.....*  •

2. 25/05 → ................................  •

3. 23/02 → ................................  •

4. 27/07 → ................................  •

5. 22/10 → ................................  •

• a.  l'été

• b.  l'hiver

• c.  l'automne

• d. le printemps

**6** Il est quelle heure ? Dessine
les aiguilles et complète l'heure.

piste 12  J'écoute et j'écris

| Le matin | Le soir |
| --- | --- |

1. *Il est sept heures...*

 **19:00**

1. *Il est dix-neuf.......... heures...................*

2. Il est neuf heures
et demie.

 **20:15**

2. ................................
................................

3. Il est onze heures
moins le quart.

 **21:30**

3. ................................
................................

**7** **Complète avec *me*, *te*, *se*.**  J'écris

1. Je ..me.. brosse les dents.

2. Elle .......... couche à neuf heures.

3. Tu .......... réveilles à quelle heure ?

4. Tu .......... laves ?

5. Je .......... habille dans ma chambre.

6. Il .......... brosse les dents.

**8** **Complète les phrases.**  J'écris

1. Marion ......se lève........ (se lever) à huit heures.

2. Je ........................... (se laver) dans la salle de bains.

3. Tristan ........................... (se dépêcher).

4. Tu ........................... (s'habiller) ?

5. Je ........................... (se réveiller) à sept heures.

6. Moi, je ........................... (se coucher) à vingt-deux heures.

**9** **Raconte le samedi de Tom.**  J'écris

| DE : | Tom | Objet : | Ma journée |
| À : | John | | |

Salut !

Je me réveille à ...........................................
........................................................................
........................................................................
........................................................................
........................................................................
........................................................................

À bientôt !
Tom

**10** Coche la bonne case.

|  | [wa] comme dans mois | [a] comme dans avril |
|---|---|---|
| **1.** | X | |
| **2.** | | |
| **3.** | | |
| **4.** | | |
| **5.** | | |
| **6.** | | |
| **7.** | | |
| **8.** | | |

**11** Complète et lis la phrase à haute voix.

Le vingt-tr_ _s m_rs, c'est l'_nniversaire du p_ _sson

de ma v_ _sine C_rine.

**12** Répète la phrase très vite avec ton/ta voisin(e) !

piste 14

Trois gros **rats** gris se lavent dans la **baignoire** noire.

# Je fais le point !

**1** Imagine les dialogues
et joue la scène avec un(e) camarade.

**1.** – ..................................................
..................................................

**2.** – ..................................................
..................................................

**3.** – ..................................................
..................................................

**4.** – ..................................................
..................................................

**5.** – ..................................................
..................................................

**6.** – ..................................................
..................................................

# Je sais déjà des choses en français !

**Lis et parle avec tes camarades et ton professeur.**

**Et toi ? Lis, colorie et complète.**

|  |  | pas encore | souvent | toujours |
|---|---|---|---|---|
|  | Je comprends ce que fait un camarade et à quelle heure. |  |  |  |
|  | Je lis un calendrier. |  |  |  |
|  | Je dis la saison, la date et l'heure. |  |  |  |
|  | Je demande à un(e) camarade de parler de sa journée. |  |  |  |
|  | J'écris un mail pour raconter ma journée. |  |  |  |

*Je sais aussi :* ...................................................................................

Je fabrique

# Fabriquons le calendrier de la classe !

Maintenant, cherchez les dates importantes et découvrez ce qu'on dit pour souhaiter ces fêtes.

**1** **Les fêtes**

A. Voici quelques fêtes importantes en France :

**Noël**    **Le 1ᵉʳ Mai**    **Le Jour de l'an**    **Pâques**

**Le 14 Juillet**    **Mardi gras**

**Tu connais ces fêtes ?**
**Cherche dans le calendrier français les dates de ces fêtes :**

Noël : ..................................    le Jour de l'an : ..........................................

Pâques : ................................    Mardi gras : ............................................

**Et toi ? Cherche les dates des fêtes importantes dans ton pays.**

.............. : ...............................    .............. : ..................................................

.............. : ...............................    .............. : ..................................................

B. **Qu'est-ce qu'on dit pour souhaiter les fêtes en France ?**
   **Relie.**

**1.** Joyeuses Pâques !  •

**2.** Bonne année !  •

**3.** Joyeux Noël !  •

• **a**

• **b**

• **c**

**2** Les anniversaires : pose des questions à tes camarades et remplis la fiche.

| Prénom | ...................... | ...................... | ...................... |
|---|---|---|---|
| Âge | ...................... | ...................... | ...................... |
| Date d'anniversaire | ...................... | ...................... | ...................... |

**3** Complète le calendrier de la classe : recopie les dates importantes sur les feuilles avec tes camarades.

### JANVIER
| L | M | M | J | V | S | D |
|---|---|---|---|---|---|---|
| 1 | 2 | 3 | 4 | 5 | 6 | 7 |
| 8 | 9 | 10 | 11 | 12 | 13 | 14 |
| 15 | 16 | 17 | 18 | 19 | 20 | 21 |
| 22 | 23 | 24 | 25 | 26 | 27 | 28 |
| 29 | 30 | 31 | | | | |

### FÉVRIER
| L | M | M | J | V | S | D |
|---|---|---|---|---|---|---|
| | | 1 | 2 | 3 | 4 | |
| 5 | 6 | 7 | 8 | 9 | 10 | 11 |
| 12 | 13 | 14 | 15 | 16 | 17 | 18 |
| 19 | 20 | 21 | 22 | 23 | 24 | 25 |
| 26 | 27 | 28 | | | | |

### MARS
| L | M | M | J | V | S | D |
|---|---|---|---|---|---|---|
| | | 1 | 2 | 3 | 4 | |
| 5 | 6 | 7 | 8 | 9 | 10 | 11 |
| 12 | 13 | 14 | 15 | 16 | 17 | 18 |
| 19 | 20 | 21 | 22 | 23 | 24 | 25 |
| 26 | 27 | 28 | 29 | 30 | 31 | |

1er MAI

### AVRIL
| L | M | M | J | V | S | D |
|---|---|---|---|---|---|---|
| | | | | | | 1 |
| 2 | 3 | 4 | 5 | 6 | 7 | 8 |
| 9 | 10 | 11 | 12 | 13 | 14 | 15 |
| 16 | 17 | 18 | 19 | 20 | 21 | 22 |
| 23 | 24 | 25 | 26 | 27 | 28 | 29 |
| 30 | | | | | | |

### MAI
| L | M | M | J | V | S | D |
|---|---|---|---|---|---|---|
| 1 | 2 | 3 | 4 | 5 | 6 | |
| 7 | 8 | 9 | 10 | 11 | 12 | 13 |
| 14 | 15 | 16 | 17 | 18 | 19 | 20 |
| 21 | 22 | 23 | 24 | 25 | 26 | 27 |
| 28 | 29 | 30 | 31 | | | |

### JUIN
| L | M | M | J | V | S | D |
|---|---|---|---|---|---|---|
| | | | | 1 | 2 | 3 |
| 4 | 5 | 6 | 7 | 8 | 9 | 10 |
| 11 | 12 | 13 | 14 | 15 | 16 | 17 |
| 18 | 19 | 20 | 21 | 22 | 23 | 24 |
| 25 | 26 | 27 | 28 | 29 | 30 | |

### JUILLET
| L | M | M | J | V | S | D |
|---|---|---|---|---|---|---|
| | | | | | | 1 |
| 2 | 3 | 4 | 5 | 6 | 7 | 8 |
| 9 | 10 | 11 | 12 | 13 | 14 | 15 |
| 16 | 17 | 18 | 19 | 20 | 21 | 22 |
| 23 | 24 | 25 | 26 | 27 | 28 | 29 |
| 30 | 31 | | | | | |

### AOÛT
| L | M | M | J | V | S | D |
|---|---|---|---|---|---|---|
| | 1 | 2 | 3 | 4 | 5 | |
| 6 | 7 | 8 | 9 | 10 | 11 | 12 |
| 13 | 14 | 15 | 16 | 17 | 18 | 19 |
| 20 | 21 | 22 | 23 | 24 | 25 | 26 |
| 27 | 28 | 29 | 30 | 31 | | |

### SEPTEMBRE
| L | M | M | J | V | S | D |
|---|---|---|---|---|---|---|
| | | | | | 1 | 2 |
| 3 | 4 | 5 | 6 | 7 | 8 | 9 |
| 10 | 11 | 12 | 13 | 14 | 15 | 16 |
| 17 | 18 | 19 | 20 | 21 | 22 | 23 |
| 24 | 25 | 26 | 27 | 28 | 29 | 30 |

### OCTOBRE
| L | M | M | J | V | S | D |
|---|---|---|---|---|---|---|
| 1 | 2 | 3 | 4 | 5 | 6 | 7 |
| 8 | 9 | 10 | 11 | 12 | 13 | 14 |
| 15 | 16 | 17 | 18 | 19 | 20 | 21 |
| 22 | 23 | 24 | 25 | 26 | 27 | 28 |
| 29 | 30 | 31 | | | | |

### NOVEMBRE
| L | M | M | J | V | S | D |
|---|---|---|---|---|---|---|
| | | 1 | 2 | 3 | 4 | |
| 5 | 6 | 7 | 8 | 9 | 10 | 11 |
| 12 | 13 | 14 | 15 | 16 | 17 | 18 |
| 19 | 20 | 21 | 22 | 23 | 24 | 25 |
| 26 | 27 | 28 | 29 | 30 | | |

### DÉCEMBRE
| L | M | M | J | V | S | D |
|---|---|---|---|---|---|---|
| | | | | | 1 | 2 |
| 3 | 4 | 5 | 6 | 7 | 8 | 9 |
| 10 | 11 | 12 | 13 | 14 | 15 | 16 |
| 17 | 18 | 19 | 20 | 21 | 22 | 23 |
| 24 | 25 | 26 | 27 | 28 | 29 | 30 |
| 31 | | | | | | |

BRAVO !

# Dans la ville

**❶ Coche les bonnes phrases.**  piste 15  J'écoute

**1.** Camille et Maé vont au musée. ☒

**2.** Camille et Maé vont au supermarché. ☐

**3.** C'est 8, rue Victor-Pruneau. ☐

**4.** C'est 10, rue Victor-Hugo. ☐

**5.** Wang adore marcher. ☐

**6.** Wang déteste marcher. ☐

**❷ Entoure la bonne réponse.**  piste 16  J'écoute

**1.** Camille, Maé et Wang sont...  **a.** dans la classe.
**b.** dans la rue.

**2.** Dans la rue, Wang...  **a.** fait attention.
**b.** ne fait pas attention.

**3.** Camille demande le chemin...  **a.** à un monsieur.
**b.** à une dame.

**❸ Complète et lis à voix haute
avec ton/ta voisin(e).**  J'écris et je parle

Élise va en métro.

La maîtresse va en bus.

Et toi, tu vas à vélo ?

Olivia et Sophie vont en voiture.

Capucine et moi, nous allons à pied.

É ..............................................................

C ..............................................................

..............................................................

La maîtresse va en bus.

..............................................................

**Où vont-elles ?** ..............................................................

**4** Regarde et complète les mots fléchés.

J'écris

**5** Où et comment ?

J'écris

1. *Il va au cinéma en métro.*

2. ........................................................

3. ........................................................

4. ........................................................

**6** Joue au jeu du Robot : donne les bonnes directions
à ton/ta voisin(e) pour aller au tableau.

Je parle

VA TOUT DROIT! STOP! TOURNE À DROITE! STOP!...

**7** **Complète avec aller.**

**1.** Je .....*vais*..... à l'école à huit heures.

**2.** Ils .................... chez Martin.

**3.** Vous .................... au cinéma avec Maé.

**4.** Elle .................... à la boulangerie.

**5.** Tu .................... au musée vendredi ?

**6.** Nous .................... au supermarché.

**8** **Mets le numéro sous le bon dessin.**

a ◯    b ◯    c ◯    d ◯

e ◯    f ◯    g ◯

**9** **Complète le message de Sarah et trouve sa maison.**

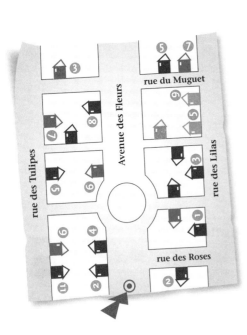

DE : Sarah

À : Karim    Objet : Tu viens chez moi ?

Salut !

Tu viens chez moi ? .................... tout droit

et .................... la place. Fais attention :

.................... à droite. Ne ....................

à gauche ! Tourne à .................... ! C'est

une maison bleue. J'....................

5, .................... des Lilas.

Sarah

**10** Entoure les dessins avec [f] de famille. Je lis

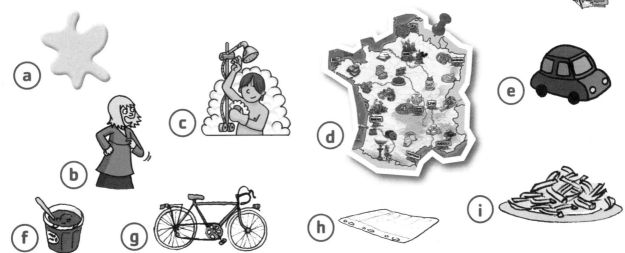

a

b

c

d

e

f

g

h

i

**11** Complète et lis les phrases à haute voix. J'écris et je parle

**1.** Avec papa, je _ais en _ille à _élo.

**2.** La _enêtre de la _oiture est ou_erte.

**3.** Je _ais de la con_iture avec mon _rère.

**12** Répète la phrase très vite avec ton/ta voisin(e) ! piste 23

Fais **vite voir** ta **voiture verte** à Farid !

# Je fais le point !

**❶** Imagine les questions ou les réponses
et joue la scène avec un(e) camarade.

- .............................................................. ?
- J'habite .................... rue ...................
.................... de la poste.

- Je vais chez toi à vélo ?
- .............................................................. .

- Pardon madame, ...................................
.......................................................... ?

- ..............................................................
.............................................................. .
- Merci madame !

# Je connais ma ville en français !

**Regarde bien et parle avec tes camarades et ton professeur.**

Je connais...

à droite  à gauche  tout droit

des directions,

des lieux de la ville,

des moyens de transport,

des panneaux de signalisation.

**Et toi ? Lis, colorie et complète.**

| | pas encore | souvent | toujours |
|---|---|---|---|
| Je comprends des lieux de ville et des directions. | | | |
| Je comprends un chemin, des règles et des panneaux de sécurité routière. | | | |
| Je dis où je vais et comment. | | | |
| Je demande et j'indique une adresse, une direction, un chemin. | | | |
| J'écris un message pour donner mon adresse et le chemin. | | | |

*Je connais aussi :* ...........................................................................................

Je fabrique

# Fabrique ton passeport « sécurité routière » !

Maintenant, découvre des panneaux de signalisation et des règles de sécurité routière.

**❶** Regarde les panneaux de signalisation p. 19 avec tes camarades.

**❷** Associe les phrases aux panneaux.

**1.** C'est l'arrêt d'autobus.

**2.** Les vélos roulent ici.

**3.** Ne traverse pas !

**4.** Attention ! Il y a des enfants.

**5.** Traverse !

**6.** Ne va pas dans cette rue, c'est interdit !

| 1 | 2 | 3 | 4 | 5 | 6 |
|---|---|---|---|---|---|
| ...C... | .......... | .......... | .......... | .......... | .......... |

**❸** Dis pourquoi les personnages ne respectent pas la sécurité routière.

BRAVO !

# Les panneaux de signalisation

a

b

c

d

e

f

# Le week-end prochain

**1** Trouve les mots du dialogue.

MARTIN : – Salut Noé ! Tu viens chez moi pour le ............................. ?

NOÉ : – Ok, d'accord ! Qu'est-ce qu'on va ............................. ?

MARTIN : – Samedi, à 9 heures, on va jouer au foot, ............................. on va aller à la

............................. ...

NOÉ : – Dimanche, on ............................. aller ............................. Wang à vélo !

MARTIN : – ............................. ! Et à minuit, on va regarder la télé !

NOÉ : – Oui ! Et on va ............................. des pizzas !

**2** Mets les dessins dans l'ordre.

a ◯    b ◯    c ◯    d ◯

**3** Relie *On va s'amuser !*

**1.** – On peut **chanter** ? ●

● **a.** – Non, maintenant, je regarde la télé.

– Après, on va courir, on va sauter.

**2.** – On peut **courir** ? ●

● **b.** – Non, maintenant, je fais du volley.

– Ensuite, on va chanter, on va danser.

**3.** – On peut **nager** ? ●

● **c.** – Non, maintenant, je fais du hockey.

– Demain, on va nager, on va plonger.

**4** Relie.

**1.** le tennis   **2.** la natation   **3.** le volley   **4.** l'escalade   **5.** la danse

**a**    **b**    **c**    **d**    **e**

**5** Fais des phrases.

**1.** *Il fait du* .......................... .     **2.** ........................................

**3.** ........................................    **4.** ........................................

**6** Complète les phrases.

**1.** Demain, je ..... *vais nager* ..... (nager) à la piscine.

**2.** À quatre heures, ils ................................ (jouer) au ping-pong ?

**3.** Mercredi, Thomas et moi, nous ................................ (courir).

**4.** Ensuite, vous ................................ (danser).

**5.** À midi, elle ................................ (aller) au stade.

**6.** – Et toi, qu'est-ce que tu ................................ (faire) demain ?

**7** Coche la bonne case.

piste 30 · J'écoute et je lis

| | maintenant | après/demain |
|---|---|---|
| **1.** Je vais manger chez ma grand-mère. | | |
| **2.** Tu vas au marché ? | | |
| **3.** Je vais regarder la télé. | | |
| **4.** Elle va faire du cheval. | | |
| **5.** On joue au basket. | | |
| **6.** Tu vas faire tes devoirs ? | | |

**8** Qu'est-ce que tu vas faire demain ?

J'écris

1. Demain, je vais aller à la boulangerie. .....................

2. ........................................................................

3. ........................................................................

4. ........................................................................

5. ........................................................................

**9** Coche la bonne case.

piste 31 **J'écoute**

|     | [p] comme dans papa | [b] comme dans bébé |
|-----|---------------------|---------------------|
| 1.  |                     | X                   |
| 2.  |                     |                     |
| 3.  |                     |                     |
| 4.  |                     |                     |
| 5.  |                     |                     |
| 6.  |                     |                     |
| 7.  |                     |                     |
| 8.  |                     |                     |

**10** Complète et lis les phrases à haute voix.

**J'écris et je parle**

**1.** Mon co_ain Patrick fait du hand-_all et va à la _iscine avec son _ère.

**2.** _rends une _anane _our _ien jouer au _asket !

**3.** Benoît ne _eut _as jouer au _ing-_ong l'a_rès-midi.

**11** Répète la phrase très vite avec ton/ta voisin(e) !

piste 32

Au printemps, Sabine et Brice

jouent aux billes et au rugby.

SNiF

SNiF

# Je m'entraîne au DELF Prim

## Compréhension de l'oral

**1** Regarde les dessins. Écoute les petits dialogues et note le numéro du dialogue sous l'image correspondante. `piste 33`

**a** ◯    **b** ◯    **c** ◯    **d** ◯

**2** Lis les trois questions. Regarde les dessins. Écoute le message et réponds aux questions. Coche la bonne réponse. `piste 34`

**A.** Où elle va ?

**a** ☐    **b** ☐

**B.** C'est à quelle heure ?

**a** ☐    **b** ☐    **c** ☐    **d** ☐

**C.** Qu'est-ce qu'elle mange au goûter ?

**a** ☐     **b** ☐     **c** ☐

## Compréhension des écrits

**1** Lis le document et relie.

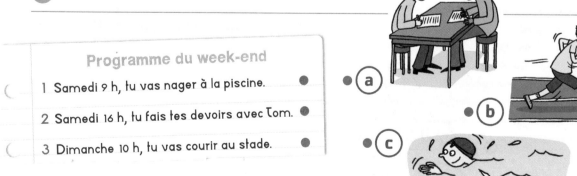

**Programme du week-end**

1 Samedi 9 h, tu vas nager à la piscine.   ●    ● **a**

2 Samedi 16 h, tu fais tes devoirs avec Tom. ●    ● **b**

3 Dimanche 10 h, tu vas courir au stade.   ●    ● **c**

# Je peux faire beaucoup de choses en français !

Regarde bien et parle avec tes camarades et ton professeur.

Je peux parler, jouer et gagner !

Et toi ? Lis, colorie et complète.

| | pas encore | souvent | toujours |
|---|---|---|---|
| Je peux comprendre des sports. | | | |
| Je peux lire les questions d'un jeu de société. | | | |
| Je dis ce que je peux faire. | | | |
| Je peux inviter un(e) camarade et accepter une invitation. | | | |
| Je peux écrire ce que je vais faire après/demain. | | | |

*Je peux aussi :* ..........................................................................................................

**Je fabrique**

# Fabriquons un jeu de société !

Maintenant, préparez les questions du jeu.

**❶ Entraînez-vous !**

**A. Complète les questions avec :**

| Comment | Où | Qu'est-ce que | Qui |

**1.** ........................................ est le capitaine de l'équipe de France de football ?

**2.** ........................................ s'appelle la femme de Tony Parker ?

**3.** ........................................ tu manges avant le sport ?

**4.** ........................................ tu fais de la natation ?

**B. Tu peux aussi utiliser *dis* ou *cherche* pour demander :**

– **Dis** le nom d'un basketteur !    – **Cherche** la couleur de l'équipe de rugby française.

**❷ À vous !**

**1.** Notre équipe s'appelle ........................................................................ .

**2.** Notre couleur est le ........................................................................ .

**3.** Notre thème est ........................................................................ .

**❸ Écrivez 5 questions pour le jeu de société.**

A ........................................................................

B ........................................................................

C ........................................................................

D ........................................................................

E ........................................................................

**BRAVO !**

la médaille

les gagnants

les coupes

𝓛'équipe gagnante est .................................................................................................................

# Chez le docteur

**1** **Coche les bonnes phrases.** piste 35 J'écoute

1. Maé est chez le docteur. ☒

2. Maé va bien. ☐

3. Maé est malade. ☐

4. Maé a mal au ventre et aux dents. ☐

5. Maé a mal au ventre et à la tête. ☐

6. Maé a mal aux dents et à la tête. ☐

**2** **Barre quand c'est faux.** piste 36 J'écoute

DE : Maé   À : John   Objet : Quel week-end !

Salut John !

Samedi, on ne va pas aller chez Martin : on est malades. Moi, j'ai mal aux dents. Wang a mal au ventre et Camille a mal à la tête. Quel week-end !

Maé

**3** **Continue *Fais comme moi !*** 
**et chante avec un(e) camarade.** J'écris

**Encore une fois ? Fais comme moi !**   **Tourne** ...........................................................

Lève la **tête**, lève les **pieds**   ...........................................................

Lève les **bras**, lève une **jambe**   ...........................................................

Lève une **main**, lève l'autre **main**   **Fais** .......................................................... **!**

**4** Regarde et complète.

...........................

...........................

...........................                    ...........................

...........................                    ...........................

...........................                    ...........................

...........................

**5** Regarde les dessins et corrige les phrases.

Je lis et j'écris

J'ai mal au ventre.

J'ai mal au pied.

1. J'ai mal aux dents. .

3. ...........................

J'ai mal à la tête.

J'ai mal aux dents

2. ...........................        4. ...........................

**6** Invite tes camarades et trouve 3 réponses.

Je parle et j'écris

| Tu viens chez moi mercredi ? ........................... ? | |
|---|---|
| prénoms | réponses |
| ........................... | ........................... |
| ........................... | ........................... |
| ........................... | ........................... |

**7** **Complète avec pouvoir et ne... pas.**

J'écris

**1.** – Maman, je ......*peux*........ aller à la piscine avec Marc ?

– Non, tu ................................................. . Tu es malade.

**2.** – Sofia ........................ bouger son nez. Et toi ?

– Non, moi, je ................................................. .

**3.** – Pourquoi il ................................................. aller au cinéma ?

– Parce qu'il a mal aux yeux.

**8** **Coche la bonne case.**

| | au | à l' | à la | aux |
|---|---|---|---|---|
| **1.** J'ai mal ... jambe. | | | ✗ | |
| **2.** Je vais ... cinéma. | | | | |
| **3.** J'ai mal ... oreille. | | | | |
| **4.** J'ai mal ... yeux. | | | | |
| **5.** Je vais ... hôpital. | | | | |
| **6.** J'ai mal ... ventre. | | | | |

**9** **Relie les phrases.**

Je lis

**1.** – Pourquoi tu ne peux pas aller au stade ? ●      ● **a.** – Parce que j'ai faim.

**2.** – Pourquoi tu manges une tartine ? ●      ● **b.** – Parce que je suis malade.

**3.** – Pourquoi tu vas chez le docteur ? ●      ● **c.** – Parce que je suis fatigué.

**4.** – Pourquoi tu ne vas pas à l'école ? ●      ● **d.** – Parce que je vais chez Tom.

**5.** – Pourquoi tu vas te coucher ? ●      ● **e.** – Parce que j'ai mal aux dents.

**10** Entoure les photos où tu entends [d] et souligne les photos où tu entends [t].

piste 42 J'écoute

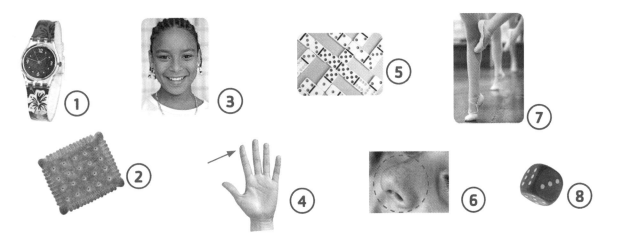

**11** Entoure les bons mots et lis les phrases à haute voix.

Je lis et je parle

**1.** J'ai mal aux (dents / temps).

**2.** Je veux du (dé / thé) au petit déjeuner.

**3.** (Du / Tu) as mal au ventre ?

**4.** Il ne peut pas (toucher / danser) ses pieds.

**12** Répète la phrase très vite avec ton/ta voisin(e) !

piste 43

Dorothée a une **grande** tête et des **grandes** dents comme ton tonton Gaston !

# Je fais le point !

**1** Imagine les dialogues
et joue la scène avec un(e) camarade.

 J'écris et je parle

– ....................................................................
.................................................................... ?

– ....................................................................
.................................................................... .

– ....................................................................
.................................................................... .

– ....................................................................
.................................................................... .

– ....................................................................
.................................................................... .

– ....................................................................
.................................................................... .

# Parce que c'est en français !

Regarde bien et parle avec tes camarades et ton professeur.

J'apprends...

à dire pourquoi,

les mots du corps,

à décrire,

à dire
« Je ne peux pas. »

Et toi ? Lis, colorie et complète.

| | pas encore | souvent | toujours |
|---|---|---|---|
| Je comprends des mots du corps. | | | |
| Je lis la description d'une personne. | | | |
| Je dis où j'ai mal et comment je me sens. | | | |
| Je refuse une invitation et je dis pourquoi. | | | |
| Je décris une personne. | | | |

Je peux aussi : ....................................................................................

Je fabrique

# Fabriquons un jeu de dominos des Monstres !

Maintenant, prépare ton monstre.

**1** Relie chaque monstre à son ombre.

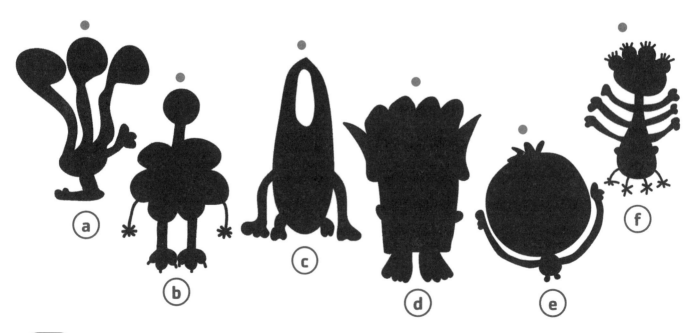

**❷ Et toi, comment va être ton monstre ?**

Mon monstre a ................................... tête(s), et ...................................

...............................................................................................................

............................................................................................................. .

Ses couleurs sont ..................................................................................... .

**❸ Prends une feuille et fabrique ton monstre.**
**Tu peux utiliser des photos de catalogue, des feutres...**

Je peux aussi utiliser du/de la/des ...........................................................

...............................................................................................................

**❹ Imagine le nom de ton monstre.**

Mon monstre s'appelle : ........................................................................... .

Le dinomonstre

BRAVO !

# La classe verte

**1** **Vrai ou faux ? Coche la bonne case.** piste 44 J'écoute

|  | Vrai | Faux |
|---|---|---|
| **1.** C'est le 20 mars. | ☒ | ☐ |
| **2.** C'est l'hiver. | ☐ | ☐ |
| **3.** À Brest, il y a de la pluie. | ☐ | ☐ |
| **4.** Il y a du soleil à Lyon. | ☐ | ☐ |
| **5.** À Paris, il fait 18 °C. | ☐ | ☐ |
| **6.** Il fait 16 °C à Marseille. | ☐ | ☐ |

**2** **Entoure les bonnes réponses.** piste 45 J'écoute

**1.** À la ferme, il y a (des moutons / des cochons / des canards).

**2.** Noé parle comme (la vache / la chèvre / la poule).

**3.** L'âne est (sur / sous / dans) la grange.

**4.** L'animal préféré de Djamila est (l'âne / le cheval / l'oiseau).

**5.** Le cheval est (devant / à côté de / derrière) la ferme.

**3** **Imagine et complète *Les beaux métiers*.** Je lis et j'écris

Certains veulent être ..................................., De ...................................

D'autres ramasseurs de **bruyère**, et de ................. :

Explorateurs de ..................................., Les beaux métiers sont ceux qu'on aime.

Perceurs de trous dans le **gruyère**, Moi, je veux ...................................!

Cosmonautes, ou, pourquoi **pas**,

Goûteurs de ...................................,

**4** Quel temps fait-il ? Complète.

1.

*Il y a* .

2.

*Il fait* .

3.

4.

5.

6.

**5** Regarde et complète les mots fléchés.

**6** Regarde la météo et complète
avec du, de la, **de l'**, des ou n'... pas d'/de.

| Lundi | Mardi | Mercredi | Jeudi | Vendredi |
|---|---|---|---|---|
|  | 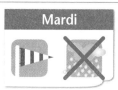 | 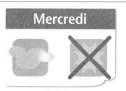 | 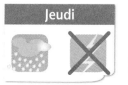 |  |

**1.** Lundi, il y a ...du... soleil. Il ...n...'y a ..pas.. ..de.. nuages.

**2.** Mardi, il y a .......... vent. Il .......... y a .................... pluie.

**3.** Mercredi, il y a .......... nuages. Il .......... y a .................... soleil.

**4.** Jeudi, il y a .......... pluie. Il .......... y a .................... orage.

**5.** Vendredi, il y a .......... neige. Il .......... y a .................... vent.

**7** Où est l'oiseau ? Complète.

**1.** Il est sur la ........
branche...................

**2.** ...........................
.......... la branche...

**3.** ...........................
............ l'arbre....

**4.** ...........................
.............. l'arbre.

**5.** ...........................
.............. l'arbre.

**6.** ...........................
.............. l'arbre.

**8** Imagine et décris ta ferme à un(e) camarade.

**9** Barre l'intrus.

piste 50   J'écoute

1. avril – le soleil – juillet

3. la feuille – l'œil – le fil

2. la fille – la ville – la famille

4. le crayon – le stylo – le yaourt

**10** Complète et lis les phrases à haute voix.

J'écris et je parle

1. Le sole__ et les abe___es se réve___ent en ju___et.

2. L'œ__ de l'écureu__ regarde les feu___es.

**11** Complète avec des mots en [j].

J'écris

| [j] = il | [j] = ill | [j] = y |
|----------|-----------|---------|
| le soleil | | |
| | | |
| | | |

**12** Répète la phrase très vite avec ton/ta voisin(e) !

piste 51

Le soleil, les écureuils et les abeilles jouent aux billes sur des feuilles !

# Je fais le point !

**1** Choisis et présente un dessin à tes camarades.

J'écris et je parle

a

b

.............................................................................................................................

.............................................................................................................................

.............................................................................................................................

.............................................................................................................................

.............................................................................................................................

# Je découvre la nature en français !

**Regarde bien et parle avec tes camarades et ton professeur.**

**Je découvre...**

des animaux,

les mots de la météo,

des métiers,

l'espace.

**dans** **derrière**

**sur** **à côté de**

**Et toi ? Lis, colorie et complète.**

| | pas encore | souvent | toujours |
|---|---|---|---|
| Je comprends le temps qu'il fait. | | | |
| Je lis la description d'un lieu. | | | |
| Je parle de mon animal préféré. | | | |
| Je demande et je dis où c'est. | | | |
| Je complète une affiche. | | | |

*Je découvre aussi :* ................................................................

**Je fabrique**

# Fabrique une affiche
# de ton animal préféré !

Maintenant, décris ton animal.

**1** Où habite ton animal ? Relie.

 **1.** un chien ● ● **a.** le désert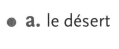

**2.** un mouton ● ● **b.** la forêt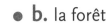

 **3.** un chameau ● ● **c.** le ciel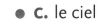

 **4.** une orque ● ● **d.** la ville

 **5.** un cerf ● ● **e.** le pré

 **6.** un aigle ● ● **f.** la banquise

 **7.** un ours polaire ● ● **g.** l'océan

Et toi, où habite ton animal préféré ?

........................................................................................

**2** Comment il/elle est ? Décris ton animal.

• Il/Elle a... ...... ...... ...... ...... pattes.

• Il/Elle est ...................................................................................... .

blanc(he)      marron      roux/      noir(e)      bleu(e)      vert(e)      autre
                            rousse

**gros(se)**

• Il/Elle est ...................................... .

petit(e)      grand(e)

• Et il/elle ...................................................................................... .

**3** Quel est son cri ? Trouve les cris des animaux.          piste 52

a ◯ **meuh**      b ◯ cocoriCOOOO

c ◯ cui-cui

d ◯ bêhhh bêhhh      e ◯ Ouaf ouaf

f ◯ groin groin      g ◯ bzzzZZzz

BRAVO !

# La fête de l'école

**1** **Complète.**  piste 53  J'écoute

1. Qui se déguise en sorcière ? ........................................ se déguise en sorcière.

2. Qu'est-ce qu'elle met ? Elle met une ................................................,
   un ................................., des ................................ .

3. Dis la couleur de ses chaussures. Ses chaussures sont ................................. .

4. Combien de baguettes magiques elle prend ? Elle prend ............................
   baguettes magiques.

**2** **Vrai ou faux ? Coche la bonne case.**  piste 54  J'écoute

|  | Vrai | Faux |
|---|---|---|
| 1. Maé a téléphoné à John. | ☐ | ☒ |
| 2. Le matin, Maé a décoré la salle avec ses copains. | ☐ | ☐ |
| 3. Le soir, les familles ont regardé un film. | ☐ | ☐ |
| 4. Maé a dansé. | ☐ | ☐ |
| 5. John veut venir à la fête la prochaine fois. | ☐ | ☐ |

**3** **Souligne les 7 erreurs**
**dans *C'est un faux numéro* !**  J'écoute et je lis

– Ça sonne, raccroche !
– Allô ! Allô ! C'est Marie, on fait une fête mardi ! Qu'est-ce que tu fais,
tu viens aussi ? Dépêche-toi, j'ai plus de sonnerie. Alors, c'est oui ?

– Allô ! Allô ! Gabi ? Qu'est-ce que tu mets samedi ? Ton pantalon gris, il est trop joli !
– Allô ! Allô ! Gabi ? Alors qu'est-ce que tu as fait samedi ?
On a attendu jusqu'à midi. Tu as oublié ?

Je t'ai envoyé un mail jeudi.
– Allô ! Allô ! Gabi ? Allô ! Allô ! Gabi ?
– Non, c'est de la part de qui ?

**4** Qu'est-ce qu'elle met le matin ?

Le matin, elle met un jean bleu ...........................................

................................................................................................. .

Et elle prend ........................................................................... .

**Et toi ?** ................................................................................

.................................................................................................

**5** Écris et pose les questions avec *combien* à un(e) camarade.

1. Combien de ballons il y a ? ............................................

2. ................................................................................................

3. ................................................................................................

4. ................................................................................................

**6** John a écrit un texto à Maé. Qu'est-ce qu'il dit ?

SLT ! OUI, G FAIT
MES DEVOIRS !
TU VIENS CHEZ MOI
2M1 ? A+
BIZ

**SMS**

**1** = un        ...........................................................................

**biz** = bise     ...........................................................................

**A+** = à plus tard   ...................................................................

**7** Complète avec **mettre** ou **prendre**.

**1.** Elle ............*met*............ (mettre) des collants.

**2.** Tu ................................. (prendre) un sac à dos ?

**3.** Je ................................. (mettre) un jean et un pull.

**4.** Il ................................. (prendre) un chapeau.

**5.** Tu ................................. (mettre) une jupe et un tee-shirt.

**6.** Je ................................. (prendre) des crayons et des feutres.

**8** Complète les phrases.

**1.** Hier, on ........*a visité*......... (visiter) la ferme.

**2.** Mercredi, j'................................. (jouer) aux billes avec Samira.

**3.** Hier, vous ................................. (lire) une histoire.

**4.** Samedi, elles ................................. (faire) du basket au parc.

**5.** Ce matin, tu ................................. (écouter) la radio ?

**6.** Hier, nous ................................. (écrire) une lettre à mamie.

**9** Raconte à un(e) camarade ce que tu as fait hier.

**10** Coche la bonne case.

Je lis

|  | hier | aujourd'hui |
|---|---|---|
| **1.** Tu as joué au rugby ? |  |  |
| **2.** Tu joues à la console. |  |  |
| **3.** Je chante avec mes copains. |  |  |
| **4.** J'ai chanté pendant le spectacle. |  |  |

**11** Coche la ou les bonne(s) case(s).

 piste 58   J'écoute

|  | [ɛ̃] comme dans jardin | [ɑ̃] comme dans maman | [ɔ̃] comme dans marron |
|---|---|---|---|
| **1.** |  | X |  |
| **2.** |  |  |  |
| **3.** |  |  |  |
| **4.** |  |  |  |
| **5.** |  |  |  |
| **6.** |  |  |  |
| **7.** |  |  |  |
| **8.** |  |  |  |
| **9.** |  |  |  |

**12** Répète la phrase très vite avec ton/ta voisin(e) ! piste 59

Vendredi matin, Quentin a mis son manteau blanc pour son rendez-vous avec Manon dans le jardin.

# Je m'entraîne au DELF Prim

## Production orale

**1** Écoute les questions et essaye de répondre. Si tu ne comprends pas la question, demande à ton professeur !    piste 60

**2** Regarde ces images et raconte-moi la journée de Marie.
Qu'est-ce qu'elle fait dans chaque image ?

**3** Regarde la situation. Nous allons parler ensemble.
Nous organisons la fête de l'école. Qu'est-ce que nous allons faire ?

## Production écrite

**1** Tu es à la ferme avec ta classe. Tu écris une petite lettre en français à un(e) ami(e). Tu dis où tu es et tu parles de ce que tu fais.
Tu peux t'aider des illustrations (5 lignes maximum).

Cher/Chère _____

# Communiquer en français...

Regarde bien et parle avec tes camarades et ton professeur.

... c'est tip top !

Et toi ? Lis, colorie et complète.

| | pas encore | souvent | toujours |
|---|---|---|---|
| Je comprends une petite conversation téléphonique. | | | |
| Je lis un texto. | | | |
| Je dis les vêtements que je mets. | | | |
| Je demande à un(e) camarade ce qu'il/elle a fait et je réponds. | | | |
| J'écris une carte d'invitation. | | | |

*L'année prochaine, je voudrais :* ........................................................................................

**Je fabrique**

# Organisons la fête de la classe !

Maintenant, complète la liste des préparatifs.

**1** Lis et complète la liste avec tes camarades.

| Liste des préparatifs de la fête de la classe | | | |
|---|---|---|---|
| **Quoi ?** | **Qui ?** | **Comment ?**<br>(le matériel) | **C'est prêt !**<br>Coche la case. |
| la liste des courses | ............................<br>............................ | ............................<br>............................ | |
| les décorations | ............................<br>............................ | ............................<br>............................ | |
| la musique | ............................<br>............................ | ............................<br>............................ | |
| les boissons | ............................<br>............................ | ............................<br>............................ | |
| la nourriture<br>(des gâteaux,<br>des bonbons) | ............................<br>............................ | ............................<br>............................ | |
| les animations | *Tous les élèves* | *Regarde p. 51.* | |
| les jeux | ............................<br>............................ | ............................<br>............................ | |
| les photos | ............................<br>............................ | ............................<br>............................ | |
| Autre : ..................... | | | |
| Autre : ..................... | ............................ | ............................ | |

Maintenant, prépare les animations de la fête avec tes camarades.

Pour la fête de la classe, tout le monde va présenter une animation en français !

**1** **Tu aimes la musique : chante une chanson ou récite une poésie.**

| Qui ? | Seul ou en groupe | Quoi ? (le titre) | Matériel |
|---|---|---|---|
| ................................ | ................................ | ................................ | ................................ |
| ................................ | ................................ | ................................ | ................................ |

**2** **Tu aimes les surprises : lance des défis à tes camarades.**

(Exemple : Compte jusqu'à 20, Chante « Fais comme moi ! »...)

| Qui ? | Seul ou en groupe | Quoi ? (le titre) | Matériel |
|---|---|---|---|
| ................................ | ................................ | ................................ | ................................ |
| ................................ | ................................ | ................................ | ................................ |

**3** **Tu aimes le théâtre : joue une scène.**

| Qui ? | Seul ou en groupe | Quoi ? (le titre) | Matériel |
|---|---|---|---|
| ................................ | ................................ | ................................ | ................................ |
| ................................ | ................................ | ................................ | ................................ |

**4** **Tu aimes les histoires : lis un texte à haute voix.**

| Qui ? | Seul ou en groupe | Quoi ? (le titre) | Matériel |
|---|---|---|---|
| ................................ | ................................ | ................................ | ................................ |
| ................................ | ................................ | ................................ | ................................ |

BRAVO !

C'est ton dictionnaire de français.
Complète ton auto-dico avec tes nouveaux mots !

**1** Écris un mot.

**2** Dessine ou colle une image du mot.

*un oiseau*

*un oiseau*

**Conseils :**

Écris le en bleu, la en rose et les en vert.

Écris les verbes en rouge : se lever, avoir, aller.

## Unité 1 • Pendant l'année

## Unité 2 • Dans la ville

..................................  ..................................  ..................................

..................................  ..................................  ..................................

..................................  ..................................  ..................................

..................................  ..................................  ..................................

## Unité 3 • Le week-end prochain

..........................................

..........................................

..........................................

..........................................

..........................................

..........................................

..........................................

..........................................

..........................................

..........................................

..........................................

..........................................

## Unité 4 • Chez le docteur

**Unité 5 • La classe verte**

**Unité 6** • La fête de l'école

Atelier p. 18, unité 2

# Mon passeport
# " sécurité routière "

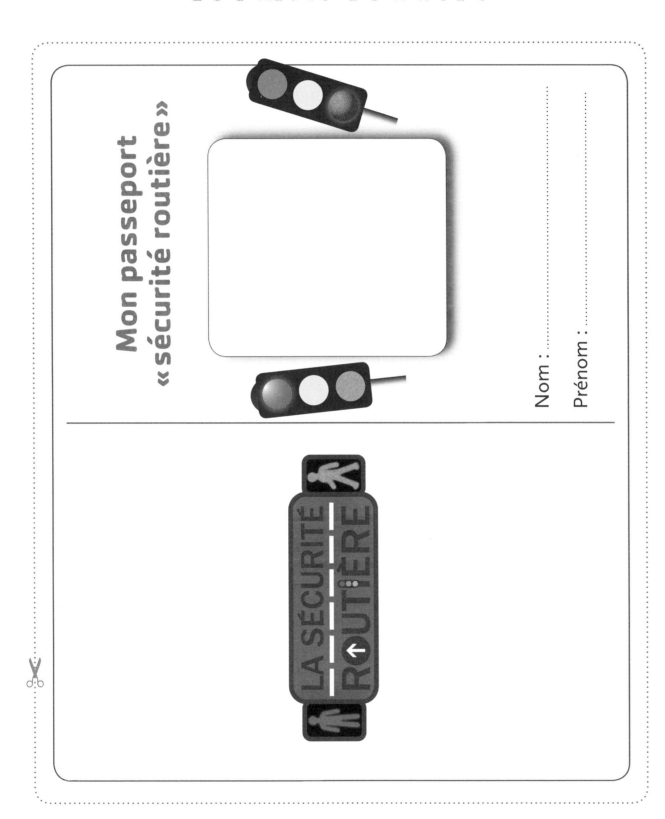

## Mon adresse :

J'habite ................................................................

................................................................

................................................................

## Mon moyen de transport :

Je vais à l'école en/à ................................................................

................................................................

## Pour ma sécurité :

Je fais attention :
– Je traverse sur les passages protégés.
– Je traverse quand le feu est vert pour les piétons.
– Je ne cours pas dans la rue.

## Les numéros d'urgence

### Autres numéros :

L'école : ................................................................

Mes parents : ................................................................

Autre : ................................................................ :

Atelier p. 26, unité 3

# Le jeu de société

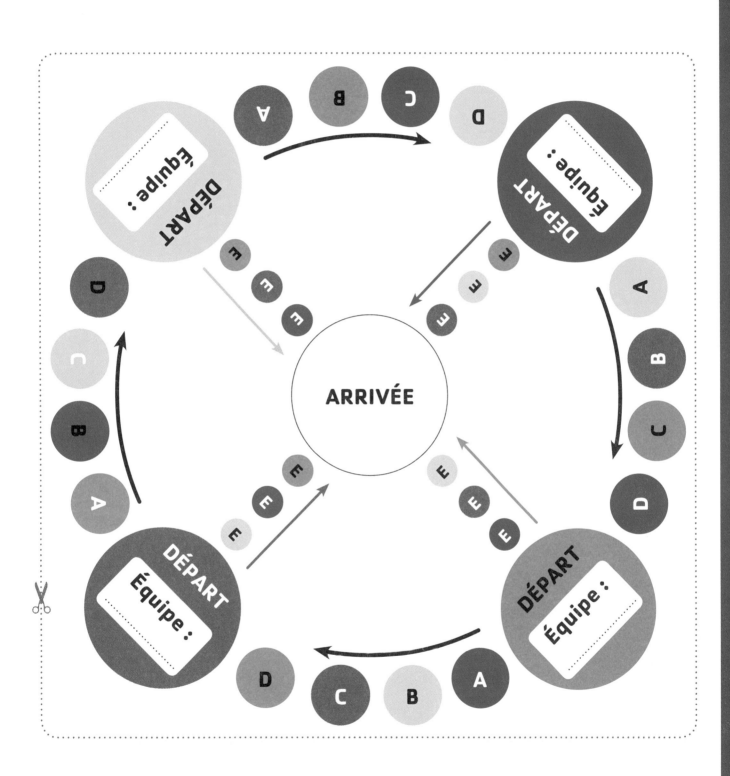

# Où vas-tu Manu ?

- Va tout droit !
- Traverse la place des Lilas !
- Va tout droit jusqu'à la rue de la Loire.
- Tourne à gauche !

C'est à gauche.

→ la mairie

- Va tout droit !
- Tourne à droite !
- Tourne à gauche !
- Traverse la rue des Fleurs !
- Traverse le boulevard !

C'est à gauche.

→ la boulangerie

- Va tout droit !
- Ne traverse pas la place des Lilas !
- Tourne à droite !
- Tourne à gauche !
- Va tout droit !

C'est à gauche.

→ le cinéma

- Va tout droit !
- Traverse la place des Lilas !
- Tourne à gauche !
- Tourne à droite !
- Tourne à gauche !

C'est tout droit.

→ le restaurant

- Va tout droit !
- Traverse la place des Lilas !
- Tourne à droite !
- Tourne à gauche !

C'est à gauche.

→ l'hôpital

- Va tout droit !
- Tourne à droite !
- Va tout droit jusqu'à l'avenue Pasteur !
- Tourne à gauche !
- Traverse la rue des Fleurs.
- Va tout droit !

C'est à gauche.

→ le musée

- Va tout droit !
- Ne traverse pas la place des Lilas !
- Tourne à droite !
- Tourne à gauche !
- Tourne à droite !

C'est à gauche.

→ le restaurant

- Tourne à gauche !
- Tourne à droite !
- Traverse la rue de la Loire !
- Tourne à gauche !

C'est à gauche.

→ la poste

- Va tout droit !
- Tourne à gauche !
- Tourne à droite !
- Va tout droit jusqu'à la mairie !
- Tourne à gauche !

C'est à droite.

→ le musée

- Va tout droit !
- Ne traverse pas la place !
- Tourne à gauche !
- Tourne à gauche !
- Va tout droit !

C'est à droite.

→ le supermarché

- Va tout droit !
- Tourne à gauche !
- Tourne à droite !
- Traverse la rue des Fleurs !
- Tourne à gauche !

C'est à gauche.

→ l'hôpital

- Va tout droit !
- Traverse la rue de la Loire !
- Traverse la place des Lilas !
- Va tout droit !
- Tourne à droite !

C'est à gauche.

→ l'école

# Le jeu du Téléphone